Anne Terzibaschitsch

Tastenträume

BAND 1

Leichte bis mittelschwere Stücke für Klavier

Anne Terzibaschitsch wurde am 5. August 1955 in Essen geboren. Den ersten Klavierunterricht erhielt sie im Alter von fünf, Geigen- und Cellounterricht im Alter von zehn und zwölf Jahren.

Von 1975–1983 absolvierte sie ihr Klavierstudium an der Staatlichen Hochschule für Musik in Karlsruhe. Sie ist seit vielen Jahren freiberuflich als Pianistin und Klavierpädagogin tätig.

Im Rahmen ihrer pädagogischen Arbeit komponierte und arrangierte Anne Terzibaschitsch zahlreiche Stücke für Klavier. Diese sind in mehreren Bänden im Musikverlag Holzschuh erschienen.

Impressum

VHR 3500 / ISMN 979-0-2013-0035-1 / ISBN 978-3-920470-19-1

Umschlag: Christian Seybold, Ingolstadt

Notensatz:
Regina Krauß, Speyer

www.holzschuh-verlag.de

Inhalt

Vorwort

Ein Grund dafür, dass ich Stücke für den Klavierunterricht zu schreiben begann, lag in dem Wunsch, für bestimmte musikalische und technische Aufgabenstellungen gezielt Notenmaterial zur Verfügung zu haben. Die Stücke verwende ich als **Ergänzung** zu den gängigen Klavierschulen. Sie ersetzen diese nicht.

Dankenswerter Weise besteht an Klavierschulen ein vielfältiges Angebot. Auch dem fortgeschrittenen Schüler ist eine große Auswahl an Werken der Klavierliteratur zugänglich. Nur für das **Zwischenstadium** des „fortgeschrittenen Anfängers“ ist geeignetes Notenmaterial nicht leicht zu finden.

Einer der Schwerpunkte meiner Unterrichtstätigkeit besteht in dem Bemühen, Verkrampfungen und Verspannungen aufzulösen und zu vermeiden. Da der Klavierton durch **Bewegung** entsteht, ist ein harmonischer Bewegungsablauf für die Klanggestaltung sehr wichtig. Die Stücke haben zum Ziel, einer Verfestigung der Muskulatur entgegen zu wirken und verschiedene Arten der Bewegung zu erlernen. Bewegung und Leben gehören immer zusammen, besonders dann, wenn es im Klavierunterricht gilt, der musikalischen Klangwelt lebendigen Ausdruck zu verleihen.

Die **Anmerkungen** zu den einzelnen Stücken (S. 45 ff.) können als Anregung dienen. Sie heben immer nur einzelne Aspekte der Betrachtung hervor. Ein Anspruch auf Vollständigkeit besteht nicht.

Auf Wunsch einiger Schüler habe ich manche Stücke mit eigenen Texten versehen. Für das musikalische und rhythmische Empfinden des Lernenden haben sich diese als hilfreich erwiesen.

Vielleicht kann eine Auswahl der in meiner Unterrichtspraxis bewährten Klavierstücke dem/der einen oder anderen Kollegen/Kollegin von Nutzen sein.

Karlsruhe 1995

Anne Terzibaschitsch

Abendglocke

Hörst du der Glocke silbernen Klang,
wie er ertönt die Erde entlang?

Weit zieht der Schall durch Wälder und Flur,
läutet zum Abend Mensch und Natur.

Wiegenlied

Andante

A.Terzibaschitsch

Kindlein mein, schlafe ein, träume süße Träume.
Bilderreihn ziehen fein durch die Himmelsräume.

Rosen blühn und Tausendschön wie im Paradiese,
und du kannst die Schäfchen sehn auf der Himmelswiese.

Kindlein mein, schlafe ein, träume süße Träume.
Bilderreihn ziehen fein durch die Himmelsräume.

Bergsteigen

A.Terzibaschitsch

Echo in den Bergen

Langsam

A.Terzibaschitsch

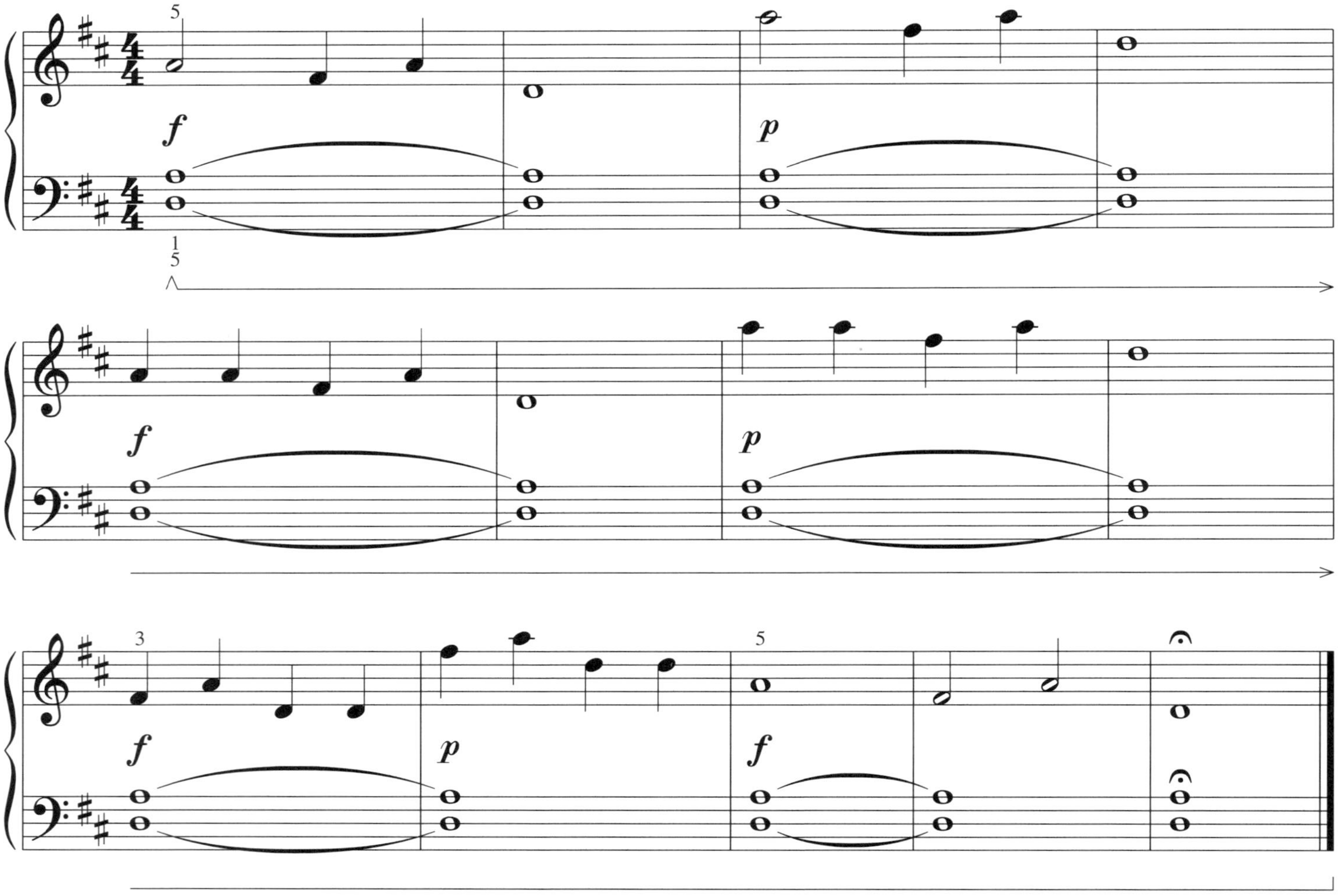

Hört ihr den Klang? Hört ihr den Klang? Von der Felsenwand,
von der Felsenwand hallt die Antwort, hallt die Antwort zu unserm Ort.

Winter

Nicht schnell

A.Terzibaschitsch

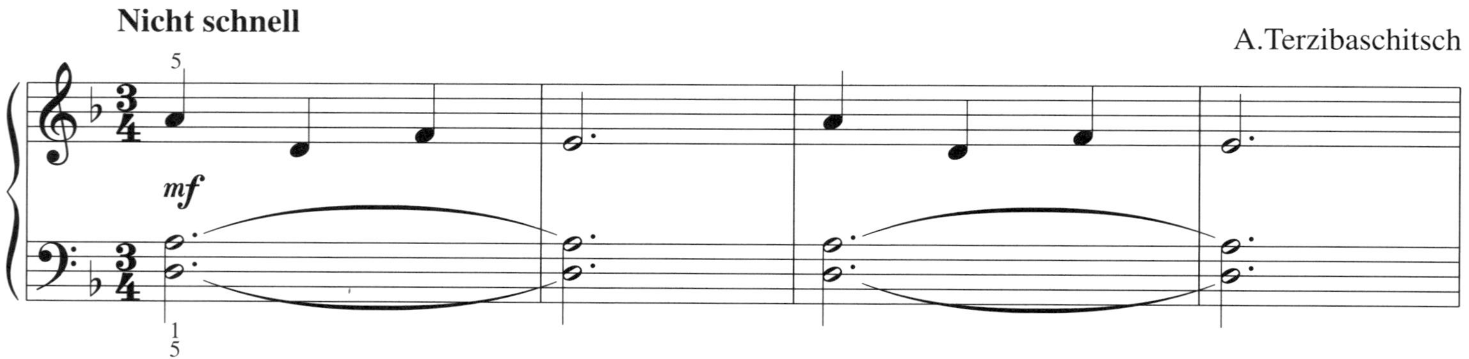

Müde und alt, schneeweiß und kalt stehen die Bäume in Wintergestalt.
Kahl und entlaubt, stumm und beraubt senken die Bäume in Demut ihr Haupt.

Abendstern

Siehst du den strahlenden Stern dort stehn? Wie er leuchtet über Stadt und Land!
Kündet als erster das Tagesvergehn. Abendstern wird er bei uns genannt.

Kleiner Walzer

Con moto

A.Terzibaschitsch

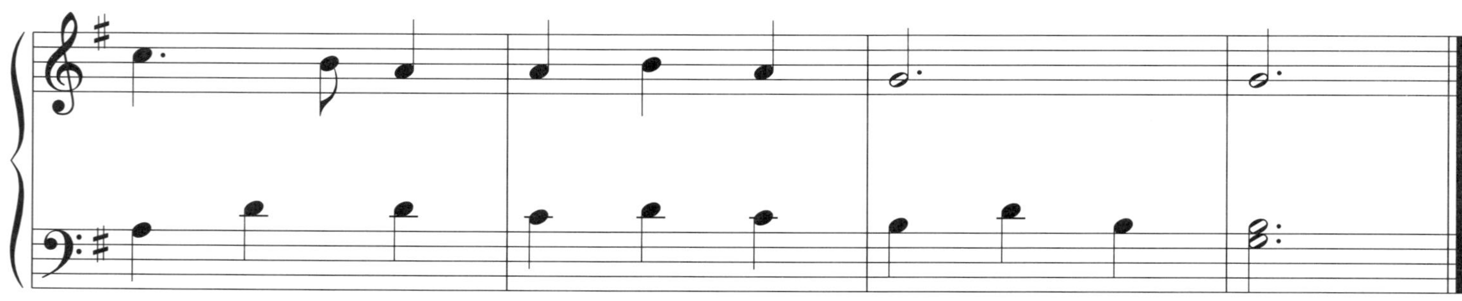

Das Schicksalsrad

Unaufhaltsam dreht das Rad, weh, o weh.
Auf und nieder führt der Pfad, den ich geh.

Lied mit Intervallbegleitung

Spielen mit drei Tönen zählt zum Wunderschönen.
Unser Lied in Dur und Moll klingt sehr ausdrucksvoll.
Wie die Stimmen singen und zusammen schwingen!
Reicher wird die Liederwelt, die das Intervall enthält.

Großmütterchen

A.Terzibaschitsch

Großmütterchen, Großmütterchen, du wirst von mir geliebt.
Großmütterchen, ich bin so froh, dass es dich gibt.
Wenn mich ein Kummer plagt, machst du mich unverzagt.
Bist wie ein heller Stern. Ich hab dich gern.

Der kleine Esel

A.Terzibaschitsch

Herbst

Allegretto

A.Terzibaschitsch

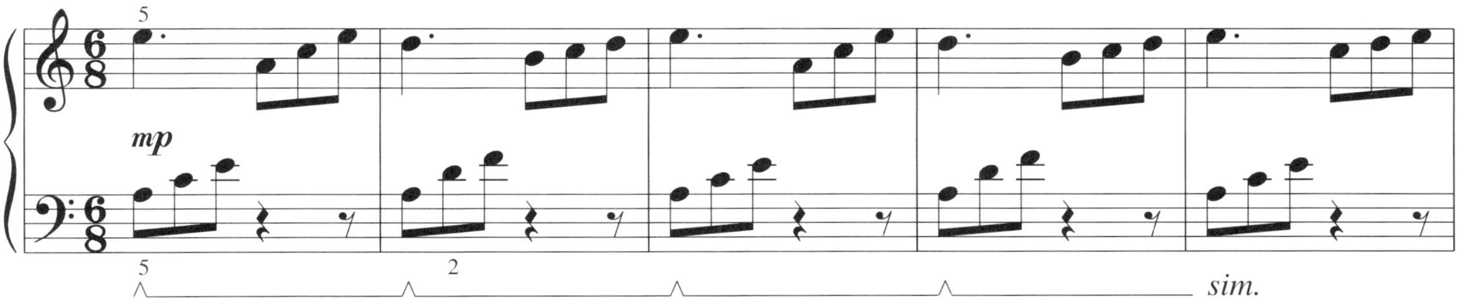

mp

sim.

rit.

Menuett

A.Terzibaschitsch

Russisches Lied

Allegretto

A.Terzibaschitsch

Drunten im Dorfe tanzt die Marie zu einer alten Volksmelodie.
Dreh dich schneller im Takt, zu der Geigen Töne;
wenn der Kummer dich packt, tanze, du junge Schöne!

Fröhliche Reise

Über dem Wasser

Bewegt

A.Terzibaschitsch

Melancholie

A.Terzibaschitsch

Schattenspiele

Moderato

A.Terzibaschitsch

Steckenpferd

Lebhaft

A.Terzibaschitsch

1 3
rit.

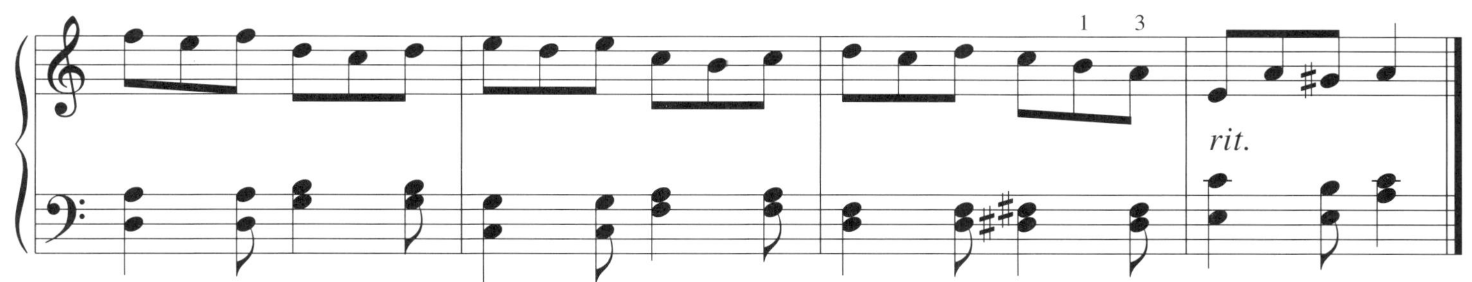

Steppenlandschaft

Andante

A.Terzibaschitsch

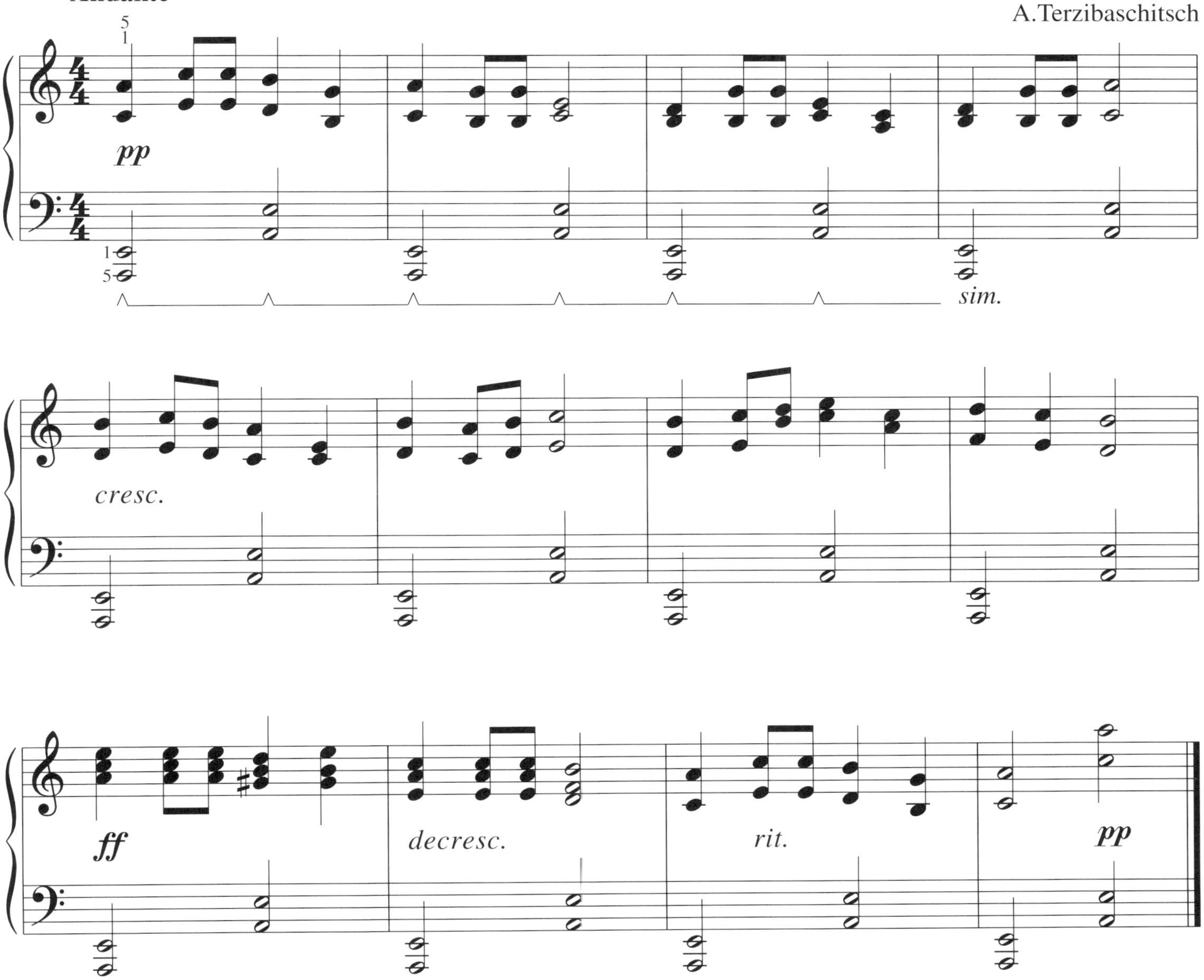
5
1
pp
1
5
sim.
cresc.
ff
decresc.
rit.
pp

Zwei Charaktere

A.Terzibaschitsch

1 3
Überleitung
1
rit.
a tempo
p
2
1
2
3

Drachensteigen

A.Terzibaschitsch

rit.
a tempo
rit.
a tempo
wieder frei
mf
f

Auf dem Jahrmarkt

Beschwingt A.Terzibaschitsch

Besinnung

A.Terzibaschitsch

Die Heinzelmännchen

A.Terzibaschitsch

a tempo
bei der Ruhepause

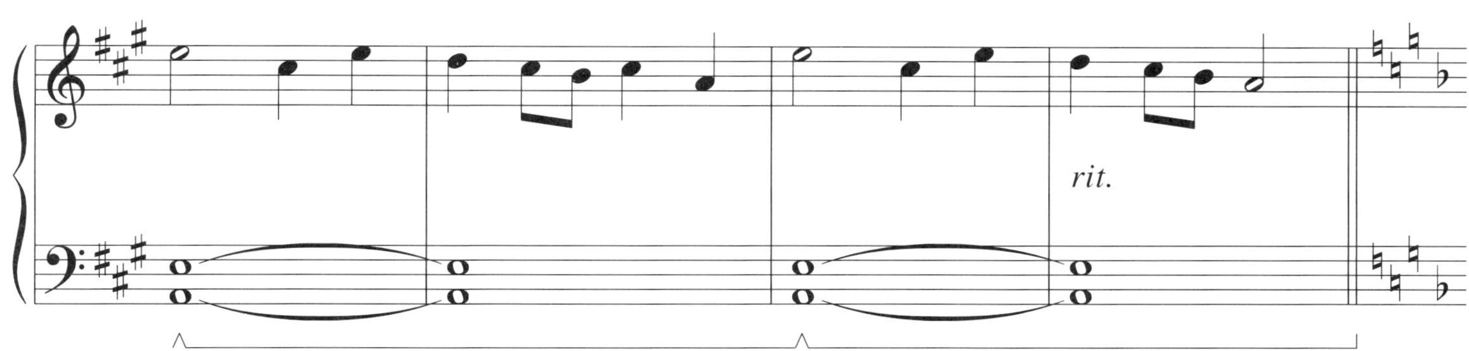

a tempo
wieder bei der Arbeit

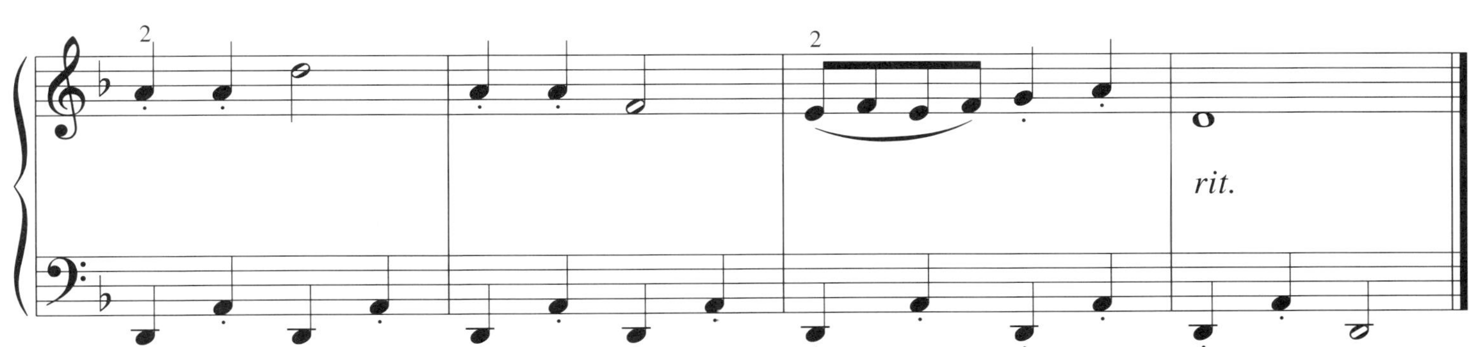

Erster Schultag

Fröhlich

A.Terzibaschitsch

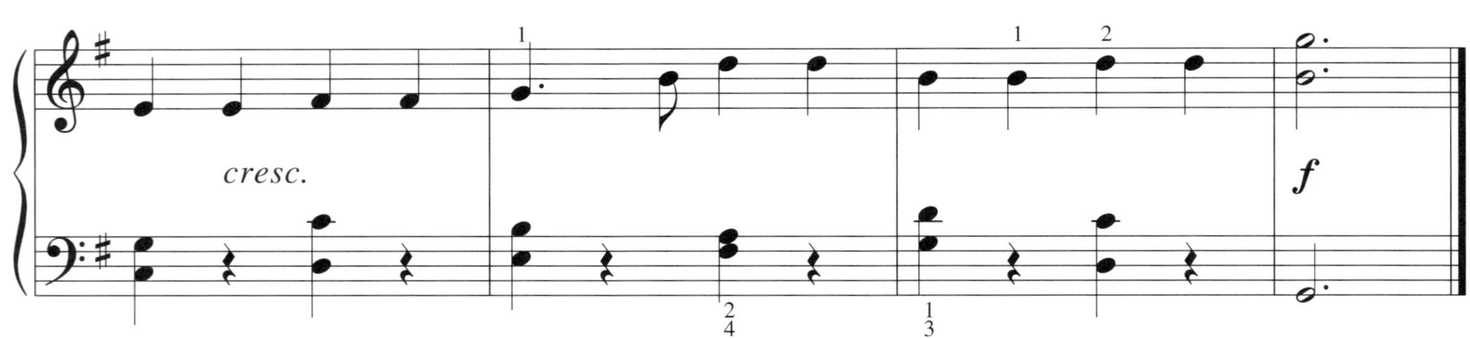

Fahrt nach Schottland

Schwungvoll

A.Terzibaschitsch

In Eile

Nächtlicher Ritt

Fließende Bewegung und Hindernis

A.Terzibaschitsch

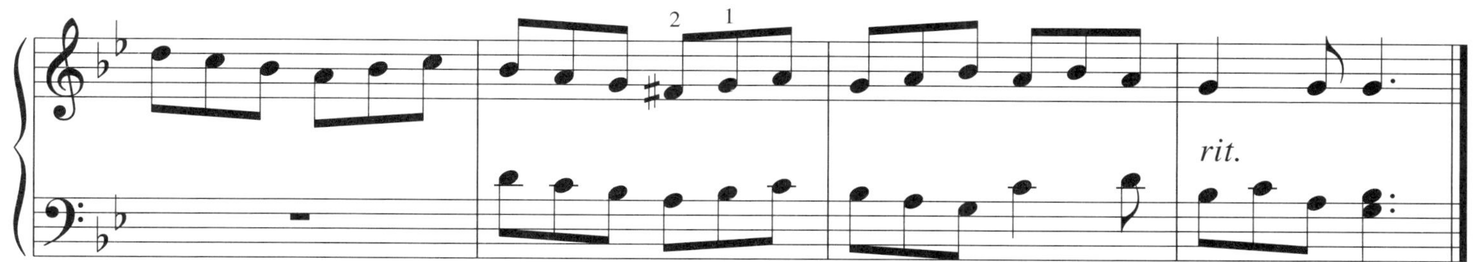

Für schnelle Finger

Vivo

A.Terzibaschitsch

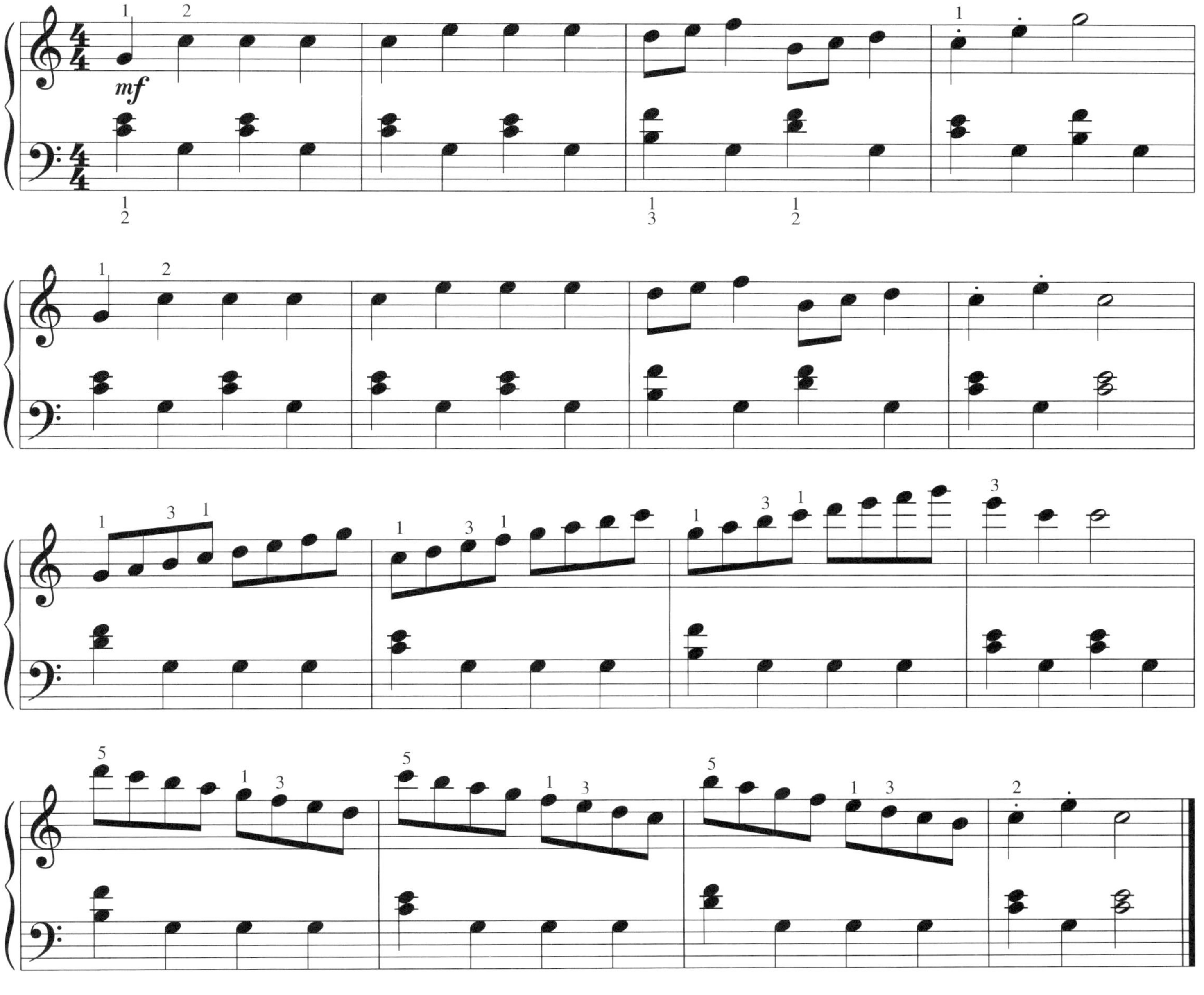

mf

Erinnerung

Andante A.Terzibaschitsch

rit.

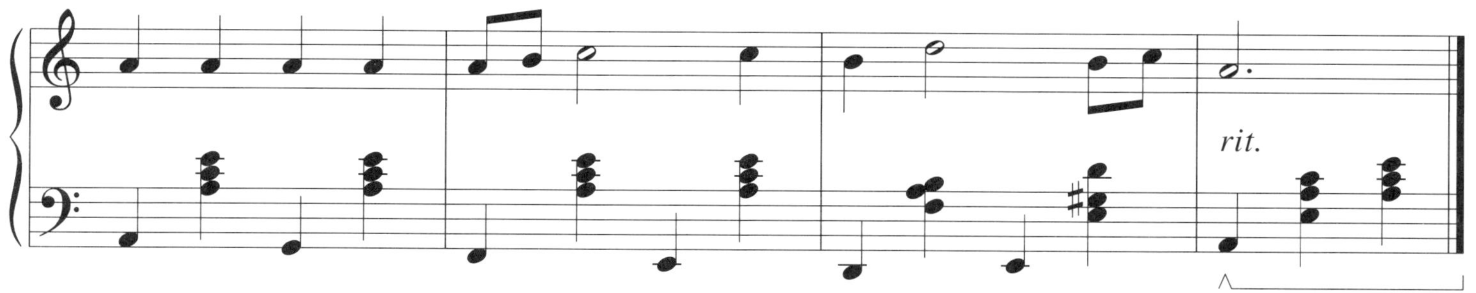

Tanz der Wichtelmänner

Schnell

A.Terzibaschitsch

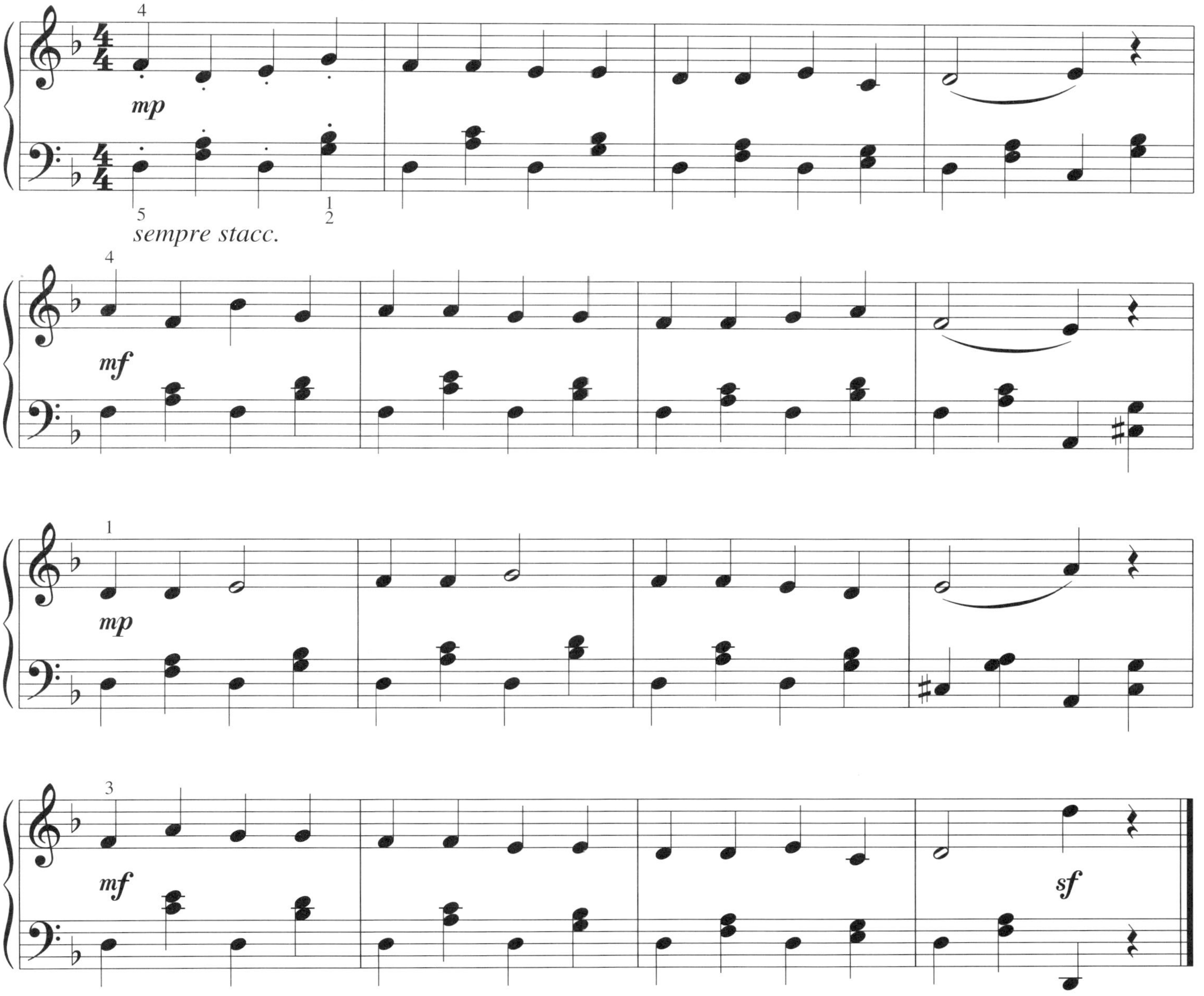
mp
sempre stacc.
mf
mp
mf
sf

Freiheit

A.Terzibaschitsch

Freiheit, Weisheit, fester Mut sei des Lebens höchstes Gut.
Steigt der Knecht zum König auf, lenkt er selbst der Dinge Lauf.

Zigeunerweise

Rhythmisch

A.Terzibaschitsch

Eine Ballettstunde

A.Terzibaschitsch

Arietta

A.Terzibaschitsch

Weihnachten

Freudig

A.Terzibaschitsch

Anmerkungen

In der **Abendglocke** (S. 5) ertönt das Glockenmotiv durch die Quintintervalle in der linken Hand. Der Gebrauch des Pedals verstärkt den klangvollen Ton der Glocke.

Das **Wiegenlied** (S. 6) steht für beide Hände im Quintraum. Der Schüler ist noch nicht mit dem Problem des Daumenuntersatzes konfrontiert und kann sich auf die richtige Ausführung der Artikulation in der rechten Hand konzentrieren. Das Legatomotiv der linken Hand stellt die Bewegung der Wiege bildhaft dar.

In **Bergsteigen** (S. 7) wird durch die nach oben gerichtete a-Moll-Skala der steile Aufstieg in die Bergeshöhe musikalisch nachgezeichnet. Der Verlauf der Bassstimme kann als fester Schritt gedeutet werden. Ein kräftiger Anschlag wäre wünschenswert.

Im **Echo in den Bergen** (S. 8) ist ein Pedalwechsel nicht nötig. Ruf und Echo können klanglich miteinander verbunden werden.

Der **Winter** (S. 8) ist bewusst in *d-Moll* geschrieben. Man kann den Schüler auf den Doppelzusammenhang zwischen „Tod" und „Winter", Tod und Tonart d-Moll hinweisen. In d-Moll stehen: F. Schubert *Der Tod und das Mädchen*, C. Debussy *Prélude Nr. 6*, J. Brahms *Requiem (Herr, lehre doch mich,...), W. A.* Mozart *Requiem* (u.a.). In Mozarts Oper *Don Giovanni* erscheint der „steinerne Gast" in d-Moll.

Auch der **Abendstern** (S. 9) setzt die Beherrschung des Tonleiterspiels voraus. Die linke Hand verlässt den Quintraum nicht, so dass sich der Spieler auf die technische Schwierigkeit des Unter- und Übersetzens der rechten Hand konzentrieren kann.

Der **Kleine Walzer** (S. 10) ist so gestaltet, dass zwei Takte einen punktierten Rhythmus aufweisen, während die zwei folgenden Takte *nicht* punktiert zu spielen sind. Dadurch kann das schnelle Umschalten von „Halten" und „Loslassen" geübt werden.

In alten Sagen und Mythen, aber auch in der Musik wird das Rad als Schicksalssymbol verwendet (C. Orff *Carmina Burana*, F. Schubert *Gretchen am Spinnrad*...). Im **Schicksalsrad** (S. 11) drehen sich die Viertelnoten der Bassfigur unaufhörlich in kreisender Bewegung. Über der Basslinie verläuft der Pfad.

Lied mit Intervallbegleitung (S. 12) ist ein Übungsstück, mit dem das dreistimmige Spiel eingeführt werden kann. Der Schüler wird mit den folgenden Intervallbezeichnungen bekannt gemacht: Sekunde, Terz, Quart und Quinte.

Großmütterchen (S. 13) ist ein beschwingtes Klavierstück mit tänzerischem Charakter (Walzer). Der metrische Schwerpunkt liegt auf der ersten Zählzeit. Die zweite und dritte Viertelnote sollte von der linken Hand mit wenig Armgewicht gespielt werden.

Bei den jüngeren Schülern ist **Der kleine Esel** (S. 14) sehr beliebt. Die rechte Hand gestaltet die Melodie und erzählt dabei eine Geschichte, während in der Begleitfigur der linken Hand das Bild des dahintrabenden, grauen Vierbeiners gemalt wird.

Der **Herbst** (S. 15) bietet die Möglichkeit, die Pausenschwünge und das bewusste Loslassen der linken Hand zu üben.

Die Schwierigkeit des **Menuetts** (S. 16) zeigt sich bei der exakten Ausführung der angegebenen Artikulation. Die Staccati der Auftakte und Schlusskadenzen sollten immer mit springendem Handgelenk gespielt werden.

Am **Russischen Lied** (S. 17) können Synkopen gelernt werden. Dazu verhilft der beigefügte Text, wenn er zuvor im Rhythmus der Musik gesprochen oder gesungen wird. Die linke Hand darf dazu den Takt klopfen oder die Bassstimme mitspielen.

In der **Fröhlichen Reise** (S. 18) wird eine Aufbruchstimmung spürbar. Ab Takt 9 beginnt für die linke Hand eine kleine Trillerübung.

Über dem Wasser (S. 19) darf mit viel Pedal gespielt werden. An diesem Stück kann der Begriff der Triole erklärt werden, vor allem aber der Begriff Phrasierung (Atmung).

Die **Melancholie** (S. 20) befindet sich im Wechselspiel der polaren Kräfte. Binden und Lösen, Dissonanz und Konsonanz, Spannen und Entspannen... wechseln von Takt zu Takt. Dieses Spannungsfeld sollte bei der dynamischen Gestaltung berücksichtigt werden.

In den **Schattenspielen** (S. 21) sollten die polyphonen Einsätze gut hörbar markiert werden. An dieser Stelle kann der Pädagoge den Schüler mit dem Aufbau der Inventionen von J. S. Bach bekannt machen.

Das **Steckenpferd** (S. 22) ist eine Staccato-Studie. Die Hauptbetonung liegt immer auf der ersten und vierten Achtelnote eines jeden Taktes.

Vor dem inneren Auge entsteht das Bild der **Steppenlandschaft** (S. 23) in ihrer unendlichen Weite. Die Schwierigkeit dieses Stückes liegt im Gestalten der dynamischen Übergänge von pianissimo bis fortissimo und ihrer Rückführung.

In dem folgenden Stück stehen sich **Zwei** gegensätzliche **Charaktere** (Themen) (S. 24) gegenüber. Der Schüler kann versuchen, sie zuerst verbal und danach musikalisch zu interpretieren.

Drachensteigen (S. 26) ist eine knifflige Geläufigkeitsübung für die rechte Hand.

Auf dem Jahrmarkt (S. 28) ist ein kleines Charakterstück. In ihm soll eine beschwingt heitere Atmosphäre zum Ausdruck gebracht werden.

Der nachdenkliche Charakter der **Besinnung** (S. 29) wird in der linken Hand durch das regelmäßige Innehalten auf der zweiten Zählzeit verdeutlicht. Das Tempo sollte nicht zu schnell gewählt werden.

In den **Heinzelmännchen** (S. 30) können beim 1- und 2-stimmigen Staccatospiel ein flexibles Handgelenk und fixierte Fingerspitzen ausgebildet werden.

Im **Ersten Schultag** (S. 32) begegnet der Schüler allen Intervallen von der Sekunde bis zur Oktave. Dabei lernt die linke Hand, sich auf die unterschiedlichen Spannweiten einzustellen.

Die **Fahrt nach Schottland** (S. 33) ist in der dreiteiligen Liedform geschrieben (A B A). Im B-Teil wird durch die gleichbleibenden Quinten ein Dudelsack nachgeahmt, welcher vor allem in Irland und Schottland als Hirteninstrument zu finden ist.

In Eile (S. 34) dient durch den metrisch gleichbleibenden Verlauf der Stärkung des Taktempfindens und des rhythmischen Gefühls. Dazu wird die Geläufigkeit der rechten Hand aktiviert.

Der **Nächtliche Ritt** (S. 35) steht in einer Molltonart (Nacht). Die linke Hand sollte die rhythmisch gleichbleibenden Intervalle mit nachfederndem Handgelenk ausführen.

Fließende Bewegung und Hindernis (S. 36) enthält einen polyphonen und homophonen Satztypus. Das Hindernis, das überwunden werden muss, ist die Tonwiederholung F.

Für schnelle Finger (S. 37) kann von jüngeren Schülern zum Einspielen verwendet werden, da die Tonwiederholungen lockern und die Skalen die Fingergeläufigkeit ausbilden.

Die **Erinnerung** (S. 38) lehrt die linke Hand, ruhige, harmonische Bewegungen auszuführen. Die Aufgabe der rechten Hand besteht darin, die Aussage des Stückes angemessen zu deklamieren. Der A-Teil stellt die Gegenwart dar und steht in a-Moll. Der B-Teil stellt die in der Rückschau verklärte Vergangenheit dar und beginnt daher in Dur.

Beim **Tanz der Wichtelmänner** (S. 39) müssen die Sprünge der linken Hand schnell und gekonnt ausgeführt werden. Eine gute Übung zum Erreichen der Treffsicherheit.

Freiheit (S. 40) wird von ängstlichen Kindern gern gespielt. Sie können lernen mutig zu werden, indem sie mit der linken Hand eine große Bewegung ausführen müssen. Dabei wirkt das Pedal unterstützend durch die von ihm erzeugte Klangfülle. Dadurch dass der Schüler die „große Geste" übt, wird er auch innerlich stärker und selbstbewusster.

Bei der **Zigeunerweise** (S. 41) erscheinen in *beiden* Händen Synkopen. Dadurch wird der Schwierigkeitsgrad erhöht.

In der **Ballettstunde** (S. 42) sollten alle Sprünge mit wenig Armgewicht gespielt werden. Beim Ausführen der „Pirouetten" (Takt 9 ff.) ist auf Gleichmäßigkeit des Anschlags zu achten.

Arietta (S. 43) bedeutet *kleine Arie.* Die Melodie ist in dichtem, cantablem Spiel vorzutragen, während die linke Hand leise und einfühlsam den traurigen Gesang begleitet.

In **Weihnachten** (S. 44) sollte sich der Schüler um deutliches Hervorheben der Oberstimme bemühen.